# Non, chuis pas une princesse !

Texte et illustrations de Sandrine Lamour



Pour mes nièces Anaëlle le pirate, Juliette, Tess
et pour ma fille Amandine.

A peine sorties du ventre de maman,

on nous appelle "*princesse*".

Toute la journée c'est :

"Oh, la belle petite *princesse* !"

"Bois ton biberon ma *princesse*."

"Fais un petit rot ma *princesse*."

Et gna gna gna et gna gna gna ...

En plus, c'est même pas vrai,
sinon tous les papas et les mamans
seraient des rois et des reines
et ça, c'est pas possible.

D'abord, les *princesses* c'est nul de chez nul.

« *Une princesse* »,

ça porte des robes avec lesquelles elle ne voit même plus ses pieds.

Tu ne peux même pas jouer **au foot** avec.

« *Une princesse* »,

c'est toujours bien coiffé

et ça ne peut pas faire

le **cochon pendu**

dans les arbres sans

faire tomber sa couronne.

« *Une princesse* »,

ça boit du thé avec le petit doigt en l'air

et ça fait jamais des concours

de celle qui crache

les pépins le plus loin.

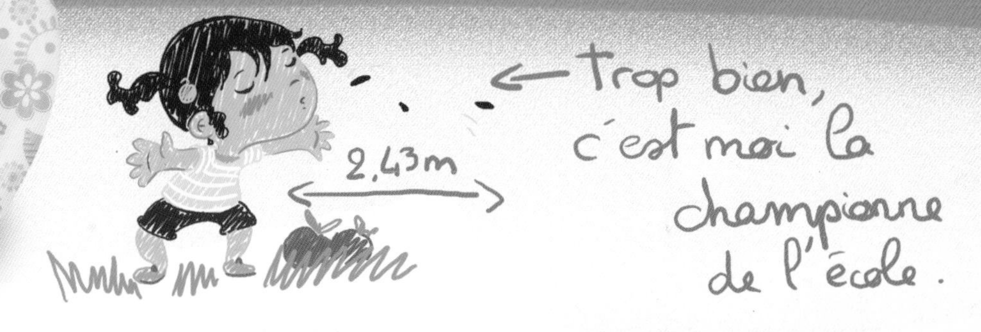

« *Une princesse* »,

c'est tout rose,

et le rose c'est salissant,

tu peux pas chasser

les escargots sous la pluie avec.

« *Une princesse* »,

ça passe son temps à attendre

le prince charmant.

Pfff, ça ne sait même pas que

les garçons c'est **nul**.

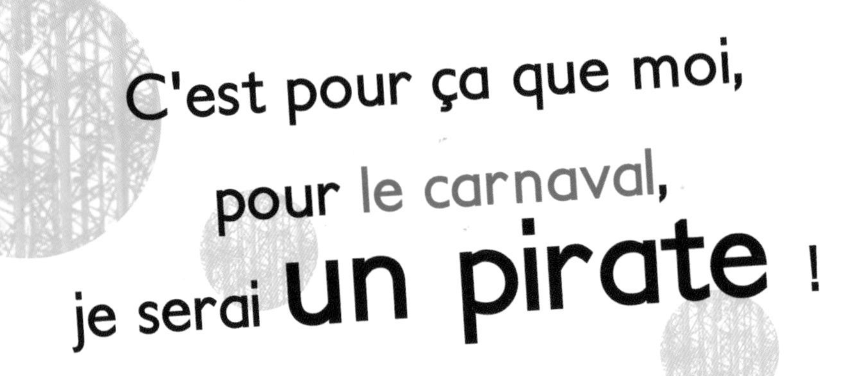

C'est pour ça que moi,

pour le carnaval,

je serai **un pirate** !

Un pirate trop fort,

qui ne parle pas aux *princesses*,

qui n'a peur de rien,

même pas d'être décoiffé.

Un pirate pas rose qui joue au foot.

**Un vrai pirate !**

"Dis Anaëlle,

tu veux bien être

ma princesse ?"

... "chuis pas une princesse, chuis un pirate..."'

"... Mais si tu veux,
on fait comme si !"

Pff, qu'est-ce qu'il ne faut pas faire pour faire plaisir.

Chuis **pas** une *princesse*,

mais pour Loïs,

j'veux bien être une

"**princesse pirate**".

Pas une rose

mais une qui crache

les pépins super loin.

Et si on allait cracher des pépins de pommes !

Super et après on fera des tirs au but.

www.editions-limonade.com

ISBN 978-2-940456-51-2

Dépôt légal : Novembre 2011